劉福春・李怡 主編

民國文學珍稀文獻集成

第三輯

新詩舊集影印叢編　第111冊

【臧克家卷】

運河

上海：文化生活出版社 1936 年 10 月初版

臧克家　著

從軍行

漢口：生活書店 1938 年 6 月初版

臧克家 著

花木蘭文化事業有限公司

國家圖書館出版品預行編目資料

運河／從軍行／臧克家　著 -- 初版 -- 新北市：花木蘭文化事業有限公司，2021〔民110〕

96面／94面；19×26公分

（民國文學珍稀文獻集成・第三輯・新詩舊集影印叢編　第111冊）

ISBN 978-986-518-473-5（套書精裝）

831.8　　10010193

ISBN-978-986-518-473-5

9789865184735

民國文學珍稀文獻集成・第三輯・新詩舊集影印叢編（86-120冊）

第111冊

運河
從軍行

著　者　臧克家
主　編　劉福春、李怡
企　劃　四川大學中國詩歌研究院
　　　　四川大學大文學學派
總編輯　杜潔祥
副總編輯　楊嘉樂
編　輯　許郁翎、張雅淋、潘玟靜　美術編輯　陳逸婷
出　版　花木蘭文化事業有限公司
社　長　高小娟
聯絡地址　235 新北市中和區中安街七二號十三樓
　　　　電話：02-2923-1455／傳真：02-2923-1452
網　址　http://www.huamulan.tw　信箱 service@huamulans.com
印　刷　普羅文化出版廣告事業
初　版　2021年8月
定　價　第三輯 86-120冊（精裝）新台幣 88,000元

運河

臧克家 著

文化生活出版社（上海）一九三六年十月初版。
原書三十六開。

文學叢刊

運河

臧克家

文化生活出版社

河　　運

宗克斌

目錄

自序

剛把千行長詩自己的寫照交出去，接着又編就了這本短詩，一年中有了雙生，自己感到了一種喜悅，不過，一回想起產它們時候所受的折磨來又不免動了「孩子肥了母體却瘦了」的悸心！

寫成一篇好詩眞不是件易事，到今天我才懂透了這個意思。所謂好詩並不專是在掂撥字句上功候的純熟，而是要求一條生活經驗做成作品的鋼骨。當然，我並不小視技巧，一個詩人沒有「語不驚人死不休」的精神是難以攀上藝術之最高峯的。不過，一件天衣披在一架骷髏上，除了病態的人誰能破口稱贊它呢？我們放眼看一看世界上稱得起偉大的作品，那一件不是用了就是自己第二手再也寫不出來的字句結晶出撼人靈魂的碩果，而技巧和內容間又找不出一點不合諧的空隙來。

對於偉大，我望見它晃動在眼前，我破死命追，然而當中的距離永遠是那麼遠。竭盡了全力掘完了經驗的寶庫僅僅寫了千餘行的一篇詩。

「從一粒砂中可以看出個世界，」如果把這個名句引到詩上來的話，一篇短詩的力量也可以想見了。這集運河收的多半是短詩然而砂粒幾乎平半了黃金年來所寫的短詩差不多都留在這裏邊了，泥砂自然難免混了清流。用作集名的運河是自己頂喜歡的一篇了，在各處見到了些贊許它的文字，可喜個人的愛好還不是偏見。這集中的詩，運用的大部是些零星的材料，這還不打緊，可惜的是沒能夠使它完全形象化，這是原于對經驗已呼應不靈，就不能不完全乞求於想像了，這是有危險性的。譬如寫旱災，我用了這樣的字句：

「大地是旱海，

風塵是長帆，
村莊是死的港口，
生命的船隻擱淺在裏邊。」

說來不免落個自己誇口，這樣的句子，無論在想像方面在音節方面似乎都找不出什麼瑕疵來，然而我却還不滿意它，因爲從這四個抽象的句子中間看不出災旱的凶相來。

在這裏不妨順便談一點關於技巧的問題。有一些詩人故意把自己的詩句造得只有自己才能看出點味來，當人家請他在每句之下加一個註脚時，他好似一個古玩家不齒一個鄉下人那樣半嗔半笑的回答一句：我的詩原不爲你們寫的。其實把一句詩寫得叫人人懂，懂了還覺得好，這難把句詩雕得只有自己懂這很容易。這道理還不出一句老話：「深入淺出」最爲上乘也最不易。

『臉前掛上了昏黃的風圈，
沙石的晃旋盪得人發眩。』（黃風）

讀者認為怎樣我不知道，不過在寫定它時的確我曾撚斷數根精神的鬍！我們比照一下，看一看下面的二句，其淺深和韻味有着怎樣一個區別，明眼人自然可以不用我絮叨了。

『城下的古槐空透了心，
用一枝綠手招醒了城下的土人。』（古城的春天）

現代寫詩的人要想從自己手中出來的東西放一點大的光彩，只有一條路：用你整個的生命作爲抵押！這話有人要是認爲有點可笑時，我就請他回答我一句問話：『文藝的洪流是來自那兒？』

在這樣時代裏，一個詩人只要肯勇敢的去踹現實，如果幸而死不了的話，提起筆來一定可以流注下串串的平常人萬年想不出的詩句來，這些詩句的音節一定是緊合着時代的節拍的，也用不到誰來指教，你運用的字句一定都是嶄新的幾乎是神奇的（在未下筆前你自己也不知道要這麼寫！）然而又是人人能懂的。把這話寫在這裏，作爲一個勉勵對自己以及同好的朋友們。

——克家二十五，四，十四日。

v

運河

月

哀號拖過了每家門口，
今宵哀號也叫不出人來，
大門裏各人緊鎖着個暖秋，
臉像春花一齊朝着明月開。

西風送他，亮月送他，
送他踏上了古剎的石階，
不叫一絲淸光拖住襤褸，抖一下，
他閃進了一座陰森的神台。

二三，中秋。

閒

我的日子裏找不到悠閒，
擔着沈重的日夜，我聳一聳雙肩，
工作放下了，心却沒法平靜，
心上叫着一萬種不平！

誰喜歡生活那張輕鬆的臉，
叫閒散注成了苦人的深淵；
忙迫就算是撲食的羣狼，
對着它我却揭開了胸膛。

4

我愛工人們走出工廠，
暮色裏拍一下塵土的衣裳，
我愛農人們放下了鋤桿，
坐在草阡上吐一捲青煙。

我更愛兵士們爲正義作戰，
依着死屍作片刻的假眠；
我愛這一羣，我愛他們
忙裏閃出的那一點舒心。

二三，九，三十日。

秋

我想，一定有人銜一支煙，
從紙窗縫裏望着雨中的庭院，
凄清的雨絲洒下了半空，
人的愁絲和雨絲攪成一團。

也一定有人向傍晚的紅日，
念起千里外故鄉的雲煙，
或者拖一隻冷冷的影子，
向大野裏去找謝了的童年。

6

可有人認識眼前的秋天？
它在窮人的臉上是多麼鮮艷！
凄清到處流溢着夜哭，
夜，靜靜地又把哭聲咽住！

荒郊上，涼風吹出了白骨一片，
誰會想到：
鴨綠江上的秋色
已度不過山海關！

三，十，二日。

七

大寺

沒事嗎邁着閒散的步調
請到大寺裏去見見世面。
要去，我勸你脫下文明衣裳，
穿上你那頂古舊的一件。
要去，還有一件事得告訴你留心，
留心大寺的老相
驚了你都市磨亮了的那雙眼。
你不要看「中山市場」那嶄新的木牌；
它對這古老的建築是多不合諧！

8

這大寺曾有過幾百年的香火，
神龕裏藏過了蕉葉大的蝙蝠。
在當年，不用說神氣的陰森迫人的呼吸，
單是夏天磚縫裏的守宮就夠你怕的！
于今你進去用不到驚心這些了，
然而另外一些怪象會嚇住了你：
大風口裏吃黏糕，吃得那麼甜，
（你不會心下裏怕嘴角上流涎？）
十月天身上還是一件破爛的汗衫。
你要再驚人的還有，
還有人在吃着初冬的西瓜片。
往裏去，千古百怪的叫賣

從你耳中喚起了新奇
你聽不懂這聲音
正像你不認識那些東西。
一擔擔的擔貨擔貨上冒着火烟，
老人們熱騰騰的一個人捧着一碗，
這是「豆沫」這是「米糊」……
反正我解說了你還是胡塗。
小孩子手揑着一個銅元，
想買東西先望望大人的臉，
叫銅子在手中先打幾個翻身，
才把它抛給了叫賣的人，
什麼花生啊，甘棠啊兜了一小襟，

10

臨走再囘頭揄上幾個，
這個銅元花得似乎太不甘心。
兩邊的小攤骨董店一般，
每樣都是老舊
對你每樣却都是新鮮。
本地見過嗎？棉花織成的粗布，
各樣土俗的花紋，
俗却俗得恰叫人喜歡。
（這棉花不知轉過了多少次
老嫗深宵的紡績車輪，
不知經過多少笨手
幾千萬次的投梭。）

一件短襖，一牀被窩，
值不過你脚下的一雙鞋錢。
穿着汗衫走來的主顧，
珍重的提起來照長照短，
亂騰騰的翻了一陣，
放下這件
又拾起了那件。
他們在價錢上掂斤撥兩，
有時一個交易講了半天，
末後終于散了，
爲了爭論着一個銅元。
賣笨脚鞋，笨得叫人發愁，

愁着多少年才可以穿完。
你再放開眼看：
賣砂鍋，賣黑泥碗，
賣木鍬也賣鋤鐮。
你不要笑這些東西，
這些東西
在都市裏，有錢
你也只是白瞪眼。
村婦走近貨攤，咕噥着尺長寸短，
店夥的嘴說得蜜漿甜。
你笑她們這是小氣？
可是她們會不知「大方」值多少錢！

13

算命嗎？
帶着花鏡的老先生在牆根那兒等你，
等得正出神，
手下閒敲着命運的棋子，
口中吐出了一道靑烟，
他不光會算命，
還代寫家書配合姻緣，
他是月老飛下了九天。
倦了的話，
到太陽底下去聽梨花大鼓，
你看圍了那羣人一動不動．
像木偶，像泥胎，

叫一張口一個架勢
牽他們的心
到了另一個世界。
完了場，人拍拍腚，一轟四散。
剩一個說書匠罵地罵天。
到處停着待招擔子，
擔子上懸着「朝陽取耳」的紅字，
看他正在給莊稼老斗
梳一條細小的白髮辮。
你看到飯攤一定得伸一伸舌頭，
看！一個人在張着血盆口
叭着那麼嚇人的一大黑碗飯。

早晨你來，
能看到一些土產貨物。
一個人守一堆
在候着顧主。
貨變成了錢，
回頭捎一串包子
好家去打發迎在門外的孩兒。
看了這些，你會替大寺歎一口氣，
忘了，這我該告訴你：
前些年花行好的時節
大寺也曾繁榮過一期。

三三，一，三日。

16

冰花

是誰家的青年孩子，
倒在了這平川大地，
身邊的破瓢裏結着冰花，
一根棘條上咬爛了狗牙！

一領老破襖蓋住了頭，
不肯把臉向着宇宙，
紅腫的雙腿上綻開了花朵，
冷風催着血水流落！

不做一聲哀叫，
任人掩鼻從兩邊跑過，
身下一層薄薄的冰綃，
把牠和大地結成了一個。

夜來落過一塲大雪，
銀白把一切骯髒鍍過，
等到太陽重放光明，
人間破上個大血窟窿！

二三，一二，五日。

18

運河

我立脚在這古城的一列廢堞上，
打量着紺黃的你這一段腰身，
夕陽這時候來得正好，
用一萬隻柔手攬住了波心。
在這裏我再沒法按住驚奇，
古怪的疑問絞得我心癡！
是誰的手闢開了洪夢．
把日日星辰點亮在長空？
是怎樣的一個嬴姓的皇帝，

一口氣吹起了萬里長城？
天女拔一根金釵，
順手畫成了天河；
端陽的五絲沾了雨水，
會變一條神龍興波，
這是天上的事誰也不敢說，
我曾用了天上的耳朶聽過。
怪的是，楊廣一個泥土的人，
怎樣神心一閃，
閃出了
這人間一道天河！
你告訴我，當年四方多少苦力，

給一道命運綑在了一起，
放着鐮刀在家裏銹住了白光，
無邊亂草遮住了白地，
寒天裏妻子沒處寄征衣，
一個家分掛在天的兩極，
孩提學話只喔哦着媽媽，
人間成了個無父的天地！
天上的烏鵲一年忙一個七夕，
這地上的工程是沒頭的日子！
晴天裏鐵鍬閃起了電火，
一串殷雷爆響在心窩。
硬鐵磨薄了手掌，

磨白了頭髮，
磨亮了眼睛
也望不到家。
累死了的，隨着土雨實入了長堤，
活着的，夜夜夢見土坑陷落了三尺！
毒恨的眼淚，兩地的哀號，
終於興起了萬里波濤。
波濤老是擁着濁黃，
是當年的寃憤至今未消？
兩道大堤使你晃不開雙肩，
然而星星也沒法測你的高深。
像一條吟龍

22

竄過了兩個世界，
頭枕着江南四季的芳春，
尾擺着燕地冰天的風雲。
聽說你載着乾隆下過江南，
一陣小雨留下了不死的流傳，
你看背後夕陽的顏色正紅，
貼在「沙邱古渡」的歇馬亭。㊀
幾隻白魚傍着龍舟打了個挺，
一座龍王廟騰起了半空，
這地方水勢至今打着旋花，

㊀乾隆下江南，避雨歇馬亭。

一個鐵窗戶像一隻死眼，
瞪得舟子捧着心怕！
我知道，人間的蘇杭，
你馱過紅心的天子曾去沉醉，
彷彿八駿馱着古帝王
去西天的瑤池會王母一樣。
南國的荔枝帶着綠葉，
一陣輕風吹到了宮掖，
得寵的御女滿口香甜，
誰說天涯不就在眼前！
江干的玉女流入了宮庭，
四壁黃牆已非人境，

24

竭盡了海內所有的珍奇
裝成一個花枝的身子。
你也一定運過連船的天兵四方去遠征，
金甲耀得河水發明，
回頭來連船雖是減了長度，
然而船面上却添了凱旋的歌聲。
我想，如果你也有一張口，
肚子裏的話會綳斷喉頭，
城圈攬住你
又放開你，
一裏一外的歲月
誰能計算清？

長毛大殺水旱十三門，
人頭在河裏滾，
萬人塚上的草色至今還發紅！㊁
一道城垣向三十里外展開，
於今只留些殘破給夕陽徘徊，
河岸上見不到詩人的遺跡，
有一座荒碑告訴他的故里。㊂
你的呼吸把一切吹空，
你却健在做一切的證明。

㊁、長毛之亂，臨清城被洗，死屍遍野，叢葬而成萬人塚，至今塚邊草作紅色。

㊂河東岸有石碑，上書謝茂秦故里，按茂秦名榛，明代詩人。

我眼前河面上桅杆一林，
破帆上帶着風雨帶着驚心，
我常見一條繩索
串着岸上的一個人羣，
一齊向後蹬開岸堐，
口裏擠出了聲聲欵乃，
一聲欵乃落一千滴汗，
船身似乎不願意動彈，
一個肉肩抵一支篙像在决負勝，
船載多重生活的分兩多重！
黑夜裏空中失了星斗，
一點燈火牽着船走，

黃昏的雨，涼宵的風，
風雨也阻不住預定的旅程，
來往的風帆這樣飄着日夜，
我看見舟子的臉上老撥不開愁容！
運河，你這個一身風霜的老人，
盛衰在你眼底像一陣風，
你知道天陰，知道天晴，
天人的豪華
奴隸的辛苦你更是分明，
在這黃昏來臨的時候，
立在這廢堞上
容我問你一句，

28

我問你：
明天早晨是那向的風。

二四，一，三十一日。

元旦

一夜抖淨了一萬重陳霾，
太陽磨亮了黑銹的人生，
這一個交關捩轉得太急，
人臉上換不及驟然的笑容。

一杯春酒送到了唇邊，
讓你吮咂着味兒的酸甜，
這一天的日子你得享受，
誰也不許放起憂愁。

二四年舊元旦。

30

我們是青年

頭頂三尺火，仰起臉
一口可以吞下青天，
一對眼銳利地
專在人生的道上探險，
三句話投不着心
便捏起了拳頭，
活力在周身跳動着響，
眞恨地上少生了個環！
叫世故磨光了頭皮的人們笑吧，

我們全不管，
秋後的枯草
也配來嘲笑春天？

黑暗的雲頭最先在我們心上打鞭，
紅熱的心是一枝火箭！
宇宙在當前是錯扣了的連環，
我們要解開它，
照着正直的黑線
重新另安！
擎起地球來使它翻個身，
提起黃河來叫它倒轉，

82

相信自己的力量吧，
我們是青年。

二四，二月。

古城的春天

眼前掛上了昏黃的風圈，
沙石的晃旋晃得人發眩，
縱然殘堞偷來了綠色，
三尺以內望不到春天。

叢叢的荒塚
是朶朶的黃花，
簪在了這古城
霜白的鬢邊。

34

城根下的古槐空透了心，
用一枝綠手招醒了城下的士人，
出門來望一望鋼板的地，
空歎聲：「一犂春雨一犂金。」

二四，三月，廿六日。

黃風

是塞北的沙漠要拔根南侵，
先遣這狂風來打頭陣？
滔滔的洪濤沉浮着天地，
什麽都怕把不住自己！

半空裏飛舞着一萬條蛟龍，
門打戰戰，窗紙發瘋，
想向回憶中抓來個平靜，
可憐捺不住這晃盪的心胸。

這像是世紀末的瘋狂，
撼搖得人生一點不穩當；
又像是大王嘘出的意氣，
衆生在他當面，
一齊呼喊出自己！

二四，四月，六日。

春旱

誰知道老天爺打的什麼主意，
要使萬物之心裂破，
要投烈燄到人間，
向人間放起一把火，

天下的眼睛盯着太陽，像盯着仇敵，
（毒狠的咒罵藏在心底）
盼望一隻天狗來把它咬死！
那是多好，一陣陰影掠過大地，

38

飄忽得像一羣可喜的孩子。

這是妄想；黃風是旱魃使順了的鐵箒，
不許天上留住雲翳。
天空是一張乾透了的藍紙。
時時有意爆裂自己！

望見榆錢便備好了耒耜，
滿望着帶雨去耕濕泥；
細草抖着一股力，
望一陣雨來好拔長身子。

還有青苦的青山，
掩不住烏鴉的樹頭，
都渴望着，渴望着，
天顏勃怒，雷聲吼，
急催下一陣甘霖，
給生命另換一個季候。

三四，四，二十四日。

弔八百死者

完了，八百條性命
不當八百隻螞蟻，
不見一滴鮮血
清水窒死了黑的呼吸！

再不用在黑天底下
愁着青天底下的妻子，
雖然，在祈禱時放了哭聲，
她們用直嗓喊着你們的名字！

完了，這一隊疲憊的殘旅，
都變了水鬼在等着拉屍，
明天，成羣的生力軍跳下青天
爭着來補你們的空子。

附註：暑假前，淄川日人經管之煤礦，因工程簡陋，致遭水淹，工人死者八百，其家人聞訊均放聲痛哭，向天祈禱，冀其生還，人間慘事無過此者，賦此志悼。

二四，五，十九日。

要活

要活，就挺起腰來認眞的活，
不該學死水裏的游魚，
不想向明天
撥弄着一點露脊的泥波。

這還用我來瘋狂的叫喊？
災難的步哨已放到你的身旁！
死亡在頭頂作引誘的比畫，
暴手掣去了生命的籬笆。

生死推到了眼前
憑你自己去作主:
時間咆哮得要炸,
快,快說出你最後的一句話!

二四,六,二十六日。

44

螺旋

像鞭梢下的螺旋——
在夜的尖上
痛苦抽我
地溜轉在這風露的庭院。

沉死的夜浪無邊——
天上的朔月
地下的我
是宇宙不瞑的兩隻大眼。

註：螺旋，小玩具，以木爲之，上圓下尖，以鞭抽之使旋轉。

二四，七，十八日。

46

旱海

大地是旱海，
風塵是長帆，
村莊是死的港口，
生命的船隻擱淺在裏邊。

旱象結上泥土的臉，
孤絕的心無可攀援，
長風捲來萬里黃濤，
生命的船隻給撞成碎片。

誰能提起東海的水，
把它倒洩在天的西邊，
給旱海裏洩下綠波，
雨滴做了救生的船？

二四，七月時晉西大學。

48

拉鋸

兩雙大手拉着六月天，
受傷的木身白血飛迸，
鐵鋸齒這一條長長的火鐮，
從眼睛上碰出了火星。

四方竹笠上壓下了太陽，
兩個大影子晃動在地上，
生命的黑流打着滾落——
背上決了一萬道江河。

二四，七，二十四日。

二十四年的秋天

西風邁進了長城萬里，
一手掣下了秋的幌子，
天空再不敢逼視人間，
一片秋聲撼動着天地。

連天的水浪翻起秋涼，
水口裏噙着溫暖的家，
西風把哀鴻編成了人字，
一羣一羣吹到了天涯。

冷酷激怒的人心
像霜打的楓葉，
秋郊正是馳馬的時候！
壯士在拚他們的熱血！

一聲蟲鳴，幾陣落葉，
已不能叫起我們的悲思，
誰說西風只會翻舊賬？
眼前的秋已有了新意！

野孩子

晃動着鋤頭，赤條條的爸爸
一身披起了萬丈的青紗，
一步一個辛苦的脚印，
生命向厚土裏扎根。

小孩子像一棵高粱，
遙遠的長在土堐上。
春天爸爸揮動過黑手，
眼前的生機向人裏流。

大地是孩子的親娘，
他在風裏雨裏生長，
太陽晒粗了他的筋肉，
生活磨硬了他的骨頭。

從小就釘在身後跟爸爸學，
然而這一着他不會料到：
等他長得像爸爸的時候，
他將更會用他的鋤頭！

二四，八，十一日。

水災

大旱在春天揭人一層皮，
夏天的日子又全浸在水裏，
村子裏倒淨了老病的房屋，
夜裏倒滿了露天的身子。

宇宙幾乎霉得要開花，
惟有人身却日見乾巴，
不必說找不到一把柴火，
地裏沒收遝什麼下鍋？

一天多少次驚人的破鑼，
喊人們一齊到河邊去，
用決死的心守着大堤，
像守一個闖禍的瘋子。

天上的水叫蛟龍馱來，
浪頭像猛虎把長堤抓開，
大口裏伸出條亮亮的饞舌，
向着當前的一切捲來，

連驚呼也不給一點餘地，

先把喉嚨給人扼死，
眼裏開花鼻子塞入了眞空，
只根根髮梢在水皮上波動。

發瘋的女子騎着屋脊，
脚像雙槳插在水裏，
眼看亂搖的小手向她求援，
一轉眼只見浪頭見不到自己的孩子！

水上漂着可憐的牲畜，
漂着家具漂着大小的屍體，
這一羣前後追逐着

56

永遠不願分離！

水口噉出來的生命，
脚踏空地頭頂一天青，
像破爛的敗葉一堆，
偏偏臉前又吹起了秋風！

一二，九，十九日。

瘋婆

像一棵枯樹披一身秋風，
（枯樹心裏却開着一朵花）
拚一個鐵心到處磨碰，
臉向着地，像尋一根針，
忽然把眼又移向了人羣，
他在尋找着，尋找着什麽，
像一個骷髏在找他的靈魂。

她口裏叫着一個名字，

那人就像貼近她身旁，
一霎掉頭向四下裏探視，
彷彿那人又是在遠方。

望見個中年人的背影，
她撲過去像一陣旋風的顚狂，
『孩子，快來家吧，
我給你鋪好了暖和的炕！』
（她不清楚，現在是古廟留她度殘年，
當年的炕頭還在她心上發暖。）

人家跑遠了，

她手脚爬起雲來追趕，
像魔咒定住她：
一回頭給她打個照面！

『總得有個存身的地方！』
她將飛步尋到天涯，
天涯在她心裏另有限界，
其實一條大街她都摸不到兩端！

如果穿一身短的灰衣，
她便掣住你苦苦哀泣，
鼻涕眼淚橫過縐皮，

60

像六月的江潮決了大堤

『老總要了我這個孩子吧！
老總要了我這個孩子吧！』
叩頭作揖可笑的樣子百出，
然而話頭反復只這麼一句。

我不要驚怪也不須發怒，
這原算不了無理的錯誤，
來不及打量你那一張臉，
灰色先搶了她的眼去！

二四，十，二十五日。

破題兒的失望

——爲一個可愛的孩子作——

「去考海軍，
去考海軍」
訓育門前的土地
孩子們排成了鳥噪的園林，
這一叢叢活潑的小樹
頂着彷彿的年輪，
這個用身子去比量那個，

62

差不到一頭，差不到一耳根，

一身黑線的布尺
當衆昂然直起了體軀，
孩子們立在它身前
生怕身條學不來尺蠖。

看翻開的眼皮，
相臉上的色素……
關心着周身的毛病，
訓育臨時做一回醫生。

一刻以後，園林裏
起了一陣秋颸——
這是落伍者的太息，
檢來檢去真細心，
一灘沙裏
檢出了七粒黃金。

『去考海軍，
去考海軍，』
七人的行列擺出了校門，
送別的同伴們
回頭來

更討厭了書本，
茫茫的前途又加了一段長，
一陣邪勁的破腔：
『舊巢合是啣泥燕，
飛上枝頭變鳳凰！』

七八一行列——
有六個踏上了自由車，
最小的他
附在別人的車後
算一條尾巴。

漫天的風沙
做一個嚮導，
推開了希望的輪子
去磨盡陌生的道路三百里！

送他們出門的同伴
還沒淡盡心頭的艷羨，
黃風又把七人的小排
吹了回來。
大點年紀的不很在乎的
誇濟南三勝的景色；
而最小的那條尾巴，

66

却獨自塞緊了門，
兩眼是淚，
連頭連身子
壓上了兩牀厚被。

附註：前幾日，訓育先生從濟南帶來了中央招考海軍的消息，全校學生躍躍欲試，因均感前途茫然而急于想求一捷徑也。但招考條件甚嚴，身材不得過高，一般年紀較小的都爭集訓育門前受高度的測驗，人均怕過高，多微曲身以求適合。檢驗結果僅七人合格，餘者頗沮喪。投考須先到濟報名測高，合格後再送京，臨行時，此七個小孩俱興高彩烈，東取西借，忙湊川資，六人騎自行車，爲圖省錢也，最小的一個林姓學生附於別人車後以行。出校時，諸同學均目送，而自嘆不得同行！此日正黃風漫天，沙塵如雨，三百里的陌生途程對於這七個曾未離開過鄉土的孩子，眞夠叫人擔心的了。過數日，同學們豔羨之心尚未淡盡，而此七人的小行列又給漫天的風沙吹了回來，人人一臉塵土，兩腿痠痛。餘人於同學面前尚大談濟南三勝，而最小之林生則獨自塞門垂淚，將全身縮入被中，狀甚可憫，故爲作此詩。

三月二十日。

依舊是春天

什麼也沒有過的一樣。
一萬條太陽的金輻
撐起了一把天藍傘，
懶又靜的
籠上了人間的春天。

什麼也沒有過的一樣。
看春水那份柔情，
柳條撒開了長鞭，

68

東風留下了燕子的歌，
碧草依舊直綫到塞邊。

四月，廿日。

跳龍門

——爲會考的孩子們作——

放三年光陰輕輕的擺遠了
放一條金龍；
死掣住它的尾巴，
孩子們一齊破上了死命。

時光老人邁的步太大，
他們今天忽然驚覺，

誰都願意用心針
去釘住太陽無數的脚！

窗外的春光濃成了酒，
酒味香不到孩子的心，
燕子呢喃的打着招呼，
一層玻璃隔遠了人。

教室是孩子的宇宙，
板櫈是孩子的戀人，
書本，前日寃仇
今朝變成了膩友。

上堂下堂，低頭聽命鈴聲，
像一隊綿羊
柔順的
聽從一個牧童。

飯裏和上了泥土，
飯味那有書味香！
腦子像鋼錶的秒針
圍着課本的圈子跳得那麼忙！

國家大事，一問三不知，

72

眼睛早已拒絕了報紙，
「是什麼樣的時代？」這可以不問，
只想變條鯉魚去跳過龍門。

眼前老掛一個暈圈，
精神撐不起上下眼皮，
在班上，頸頸一軟，
一頭要碰碎那張桌子。

晚上，叫油燈偷放點小亮，
側耳聽訓育的脚步聲，
等精神和燈油一齊枯涸了，
人和着書本入了夢。

一九三六，春末。

心的連環

——學生卽將畢業散去，余擬先行，賦此志別——

我像粒帶翅的種子，
被吹到這沙漠叢中，
我的家遠掛在東海邊上，
奇怪這一陣神秘的風。

孩子，多謝你們的眼睛像太陽，
給了我溫暖也給了光，

你們的笑——
無端的東風成陣，
淚也是可以感謝的，
淚是黃金的甘霖。

這古城再不是一片磽确，
我的感情拖開了長蔓，
好比萬人塚上的黃土，
春風給它掛一身紅綠。

時光濾淨了各人的心胸，
一潭清水澈底的光明，

心和心套起了漣漪，
風絲牽連環蕩東蕩西。

教室是我們溫暖的家，
在裏邊種下了根深的記憶，
說不定別後這一條長絲，
給你牽來個風晨雨夕。

我怕今生學不來做飾，
天生叫我做一世孩子，
可喜你們沒拿我當先生，
都把我認做一個弟兄。

76

二年來，給了你們一些什麼？
在臨別的這時我紅着臉想。
沒有什麼，除了一顆真心，
還有，還有一條指路的南針。

別了，像六十顆流星
閃向四方，難以想：
幾時再可以一齊掛在
這塊破碎的天上？
孩子，我願你們永遠的恨我，
恨我臨去不告別一聲！

◆臨清北門外有萬人塚多座，秋冬淒然傷神，春夏則紅綠拂映另是一種風味。

附記：運河底稿早已寄出，今將近作破題兒的失望，依舊是春天，跳龍門，心的連環四篇一併加入付印，這本詩是以時間的先後排列的，故此四詩附於後。

五月末日記於清陰

78

平裝實價二角 精裝實價三角五分

運河

臧克家作

發行人
吳文林

發行所
文化生活出版社
上海福州路四三六號

印刷所
文化生活印刷所

巴金主編

文學叢刊

第三集

共十六冊

星	葉紫	長篇
栗子	蕭乾	短篇
曼陀羅集	陳白塵	短篇
夜景	艾蕪	短篇
春風	張天翼	短篇
黃沙	靳以	短篇
達生篇	萬迪鶴	短篇
小巫集	奚如	短篇
髮的故事	巴金	短篇
感想·印象·回憶	茅盾	散文
綠葉的故事	蕭軍	散文
橋	悄吟	散文
銀狐集	李廣田	散文
咀華集	劉西渭	批評
日出	曹禺	劇本
運河	臧克家	詩集

中華民國二十五年十月初版

巴金主編

文学叢刊

我們編輯這一部文學叢刊，並沒有什麼大的野心。我們既不敢揹起第一流作家的招牌欺騙讀者，也沒有膽量出一套國語文範本貽誤青年。我們這部小小的叢書雖然也包括文學的各部門，但是作者既非金字招牌的名家，編者也不是文壇上的聞人。不過我們可以給讀者擔保的，就是這叢刊裏面沒有一本使讀者讀了一遍就不要再讀的書。而在定價方面我們也力求低廉，使貧寒的讀者都可購買。我們不談文化，我們也不想賺錢。然而，我們的文學叢刊却也有四大特色：編選謹嚴，內容充實，印刷精良，定價低廉。第一二集各書出版未及一年均已重版多次。第三集各書本月份起陸續出版、

第一集

路	茅盾	長篇小說	平裝三角 精裝四角五分
故事新編	魯迅	短篇小說集	平裝三角 精裝四角五分
神・鬼・人	巴金	短篇小說集	平裝二角五分 精裝四角
八駿圖	沈從文	短篇小說集	平裝三角 精裝四角五分
團圓	張天翼	短篇小說集	平裝三角五分 精裝五角
雀鼠集	魯彥	短篇小說集	平裝三角 精裝四角五分
珠落集	靳以	短篇小說集	平裝三角五分 精裝五角
南行記	艾蕪	短篇小說集	平裝三角 精裝四角五分
羊	蕭軍	短篇小說集	平裝三角五分 精裝五角
飯餘集	吳組緗	短篇小說集	平裝三角 精裝四角五分
分	何穀天	短篇小說集	平裝三角五分 精裝五角
短劍集	鄭振鐸	文藝論文集	平裝三角 精裝四角五分
黃昏之獻	麗尼	散文集	平裝三角 精裝四角五分
雷雨	曹禺	四幕悲劇	平裝四角五分 精裝六角
以身作則	李健吾	三幕喜劇	平裝三角 精裝四角五分
魚目集	卞之琳	詩集	平裝二角 精裝三角五分

第二集

書名	作者	類別	定價
秋花	靳以	長篇小說	平裝三角 精裝四角五分
江上	蕭軍	短篇小說集	平裝四角五分 精裝六角
土餅	沙汀	短篇小說集	平裝三角五分 精裝五角
谷	蘆焚	短篇小說集	平裝三角 精裝四角五分
憂鬱的歌	荒煤	短篇小說集	平裝三角五分 精裝五角
多產集	周文	短篇小說集	平裝四角 精裝五角五分
崖邊	柏山	短篇小說集	平裝二角五分 精裝四角
錫砂	蔣牧良	短篇小說集	平裝四角五分 精裝六角
生底煩擾	歐陽山	短篇小說集	平裝三角五分 精裝五角
海星	陸蠡	散文集	平裝二角 精裝三角五分
鷹之歌	麗尼	散文集	平裝三角 精裝四角五分
商市街	悄吟	散文集	平裝三角 精裝四角五分
畫夢錄	何其芳	散文集	平裝二角 精裝三角五分
憶	巴金	散文集	平裝三角 精裝四角五分
母親的夢	李健吾	戲劇集	平裝二角五分 精裝四角
掘金記	畢奐午	詩集	平裝二角 精裝三角五分

.20

從軍行

臧克家 著

生活書店（漢口）一九三八年六月初版。原書三十六開。

從軍行
抗戰詩
臧克家著
生活書店發行

從軍行

抗戰詩集

臧克家著

各地生活書店發行

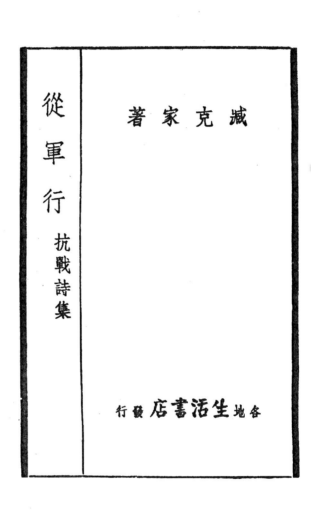

從軍行

抗戰詩集

實價國幣貳角
外埠酌加郵費

著者　臧克家

發行者　生活書店

漢口：交通路六十三號
廣州：漢民北路五十號
重慶：武庫街二十一號
上海：福州路三八四號
西安　長沙　成都　桂林
昆明　貴陽　梧州　萬縣
香港　蘭州　宜昌　南昌
衡陽　六安　南鄭　天水

印刷者　生活印刷所

中華民國二十七年六月初版(漢)

詩人呵，
請放開你們的喉嚨，
除了高唱戰歌，
你們的詩句將啞然無聲。

目次

2

自序

在砲火連天的時候，在距離血肉紛飛的火綫不遠的這地方，在極度慷慨與悲壯的情緒下，編就了這一本薄薄的詩集。當我重讀它一遍時，眞有點不安與抱愧，把這樣薄弱的東西呈獻給這大時代中的讀者。

時代太偉大了。神聖的民族抗戰，不但將使中國死裏得生，而且會使它另變一個新的模樣。現在，每個中國人，都在血泊裏拚命的掙扎，都在受着炮火的洗禮，都在苦難中磨鍊着自己，都在爲祖國作英勇的鬥爭。

中國正在扮演着一幕偉大的歷史劇。

前線上戰士壯烈的犧牲；淪陷了的地土上同胞們被慘殺的血跡；流亡道路中的難民的眼淚；遍地民衆爲保衞家鄉而作的血戰；靑年男女爲國忘

2

身的偉大精神……刺着我的眼睛，刺着我的心。使我興奮，使我止不住悲壯的熱淚。

同時，漢奸的無恥，頹廢者的荒唐與墮落，又使我多麼憤恨！

面對着這一堆事實，自己的詩句幾乎變成無聲的了。就是有一點點，然而是那麼微弱，被壓倒在時代的呼聲中了。

我這樣願望着：把自己的身子永遠放在前方，叫眼睛，叫這顆心，被一些眞切的血肉的現實，牽動着。這樣，或者可以使得詩句逐着行動向前跨進一步。

這本詩的編排，全是按照時間的先後。起首的一篇，是在「八一三」抗戰以前寫成的。

二十七年四月七日燈下，時津浦北綫正展開空前的血戰。

3

我們要抗戰

戰爭是可怕的嗎？
否！四萬萬人都眼巴着它，
一心歡喜，
歡迎着戰爭——
我們翻身的日子！
在和平女神的笑靨下，
我們臉塗上了寸厚的恥辱！
爲了和平，

4

我們繃緊了的心紋，
幾次的鬆了又鬆！
讓大好的關山，
讓肥沃的土地，
逐着後退的脚跟
陷落到敵人的手裏。
東北幾千萬同胞
從此被祖國推開了懷抱，
都成了可憐的孤子
撇到毒狠的繼母的手底！
誰曾聽到他們暗夜的哭泣？

5

誰曾看到他們被殘害的血跡？
還有他們的呻吟
怨嗟和痛恨？
他們的心像鮮亮的小旗
向祖國遙擺，
沒人應答；中原正躺在血的泊。
東北、熱河，中原禦寒的外衣，
被凶惡的刀尖挑去，全不費力；
拔去了長城的籬笆，
敵人向中原撒開了馬蹄。
層層剝蕉，

6

刀尖刺入了中華的心腑，
高抬着頭，拿我們當豬宰，
眼中竟無一個中華男兒！
北平，中華文化的結晶體，
五百年坐鎮北邊，
一線駝鈴串起漠北，
水旱大道的脈絡向四方密散，
而今，敵機成隊
在他的頭頂怪叫，
再加上砲火開花，
毒氣播送着雲烟。

什麽都準備個停當：
巨艦的鍊子鎖住海口，
軍隊的棋子
安放到恰好的地方，
準備好了一切，
勢焰吹成氣泡，
然後向我們就天要價，
要我們燕趙之地
和東北結成苦難的兄弟。

× × ×

7

迫我們走窄道，

8

入死窟窿，
他好得意的笑着
又把一塊肥肉塞入了口中。
乾柴上點火，
（中華的人心是待燃的乾柴）
敵人把我們推入了戰爭。
我們再不空口講正義，
正義永遠握在强者的手裏，
我們要用槍砲的毒口去碰毒口，
我們要用鮮血去塗成「眞理」的名子！
我們要用八萬萬隻手

9

去割開敵人的心頭的毒瘡，
不讓它再向外潰化，
我們要用四萬萬條身子，
築一道防衛祖國的圍牆！
活，要立起身子來帶響的活，
死後尸體也要交橫在一起！
我們愛和平，
然而今天我們却歡迎戰爭！
誰不喜歡鄉村的靜景？
誰不愛自己溫暖的家庭？
春天，綠樹張傘到處迎人，

10

綠水繞起青山，
一片平原像貞靜的處女，
專等農夫來撒下種子；
長夏，樹蔭下一覺午覺，
孩子們閒看螞蟻上樹，
一羣蒼蠅逗着黃牛，
它一勁亂搖尾巴的刷子；
秋日的峯頭掛起白雲，
冬天炕頭上那點溫存，
是美，是靜，是一潭深水，
我們的家，我們的鄉村！

11

我們的都會何嘗是平凡？
誰個不知道，濟南瀟洒似江南？
武漢三鎮在歷史的葉子上響，
金陵永遠在人心裏放着金光，
天府的四川，成都的故事誰不知道？
長沙岳陽叫人起多少神祕的幻想！
滬瀆的樓台是一天可以造成？
古長安至今巍立着
黃帝的墳塋！
我們的鄉村呵，美的化身，
決不讓她任人奸淫！

12

古井的轆轤邊決不讓敵人來飲馬！
決不讓敵人的脚尖
踏着祖宗的墳頭
把我們的河山當畫圖看！
我們的熱炕頭
不能讓敵人躺在上面打鼾！
不能讓妻子的手臂
套上異種人的手腕！
不能讓新的市場，歷史上的都會，
打上倭奴恥辱的脚印！
不讓！決不讓！

13

除非我們全體都死亡！
我們的日子像一局棋，
敵人一手來把它攪亂，
若不斬斷那隻毒手，
我們的生命不會安全！
學者們呵！
把身子移開那一堆故紙吧，
而今的眞理已不在故紙上！
詩人呵！
請放開你們的喉嚨，
除了高唱戰歌，

14

你們的詩句將啞然無聲！
園在「阿堵物」間的人們呵！
請大量的輸出你的金元，
祖國如淪亡，
金錢還不和把土一樣！
對對的情侶們呵！
請放開你們愛人的胳膀。
戰神正唱着戀曲
去，快去貼緊她的胸膛！
工人，農民呵，
快伸開粗大的手吧，

15

祖國正用着你們！
中華的好男兒！有口都狂喊
敵人的罪惡吧！
中華的好男兒！
我們要下上所有的生命
和敵人賭這次最後的輸贏！

二十六年七月二十九日午

16

從軍行

——送珙弟入游擊隊——

今夜，燈光格外親人，
我們對着它說話，
對着它發呆，
它把我們的影子列成了一排。

× × ×

爲什麽你低垂了頭，
是在抽回憶的絲？

17

在咀嚼媽媽的話，
當離家的前夕？

× × ×

忽然你眉頭上疊起了縐紋，
一條縐紋劃一道長恨！
我知道，你在恨敵人的手
撕碎了故鄉田園的圖畫，
你在恨敵人的手
拆散了我們溫暖的家。

× × ×

大時代的弓絃

18

正等待年青的臂力，
今夜，有燈火作證，
爲祖國你許下了這條身子。

× × ×

明天，灰色的戎裝
會裝扮得你更英爽，
你的鐵肩頭
將壓上一支鋼鎗。
今後，
不用愁用武無地，
敵人到處

便是你的戰場。

二十六年十二月十一日

20

從軍去

——別長安——

長安城，
多少年
你呼喚我，
用一縷縹渺的呼聲。

× × ×

長安城，
你坐鎮西北的偉大神靈！

在想像裏你古老，
那知道你和我一樣年青。

× × ×

天上的黃河
引來右手
作你護身的天塹，
壓一座潼關
在風陵渡頭，
只須一夫去把守。

× × ×

隴海路——

22

你鐵的動脈，
從東海注來，
向西北流走。
（像是中原伸出的胳膊，
去和綠西亞親密的携手。）

× × ×

挺立在身後
西嶽華山，
像一個精靈
聽候著你的呼喚。

× × ×

23

陝北，
你身上最神祕的部分，
太陽掛在它的頭上，
黑暗在那裏扎不住根。

× × ×

長安城，
相對八天
便向你伸出告別的手，
太匆匆！
沒有詩意
去尋太白的醉臥處；

24

沒有幽情
去訪貞婦的寒窰，
和掛滿了別緒的古壩橋。

× × ×

黃帝的墓陵
該有參天的松柏，
我沒有去參拜，
留一個神聖的影子在心中。

× × ×

長安城，
你問我匆匆何處去？

25

我要去從軍，到銅山，
因爲那裏最接近敵人。

二十七年一月二日

26

偉大的交響

我永遠不能遺忘，
不能遺忘，
當我們的列車
停留在
鄭州站東
不遠的一個地方。
黃昏已撤下朦朧的黑網，
大地上一片冷的雪光。

27

那兒飛來的歌聲
碰得我們的耳朵微響？
那聲音教玻璃窗縫
擠得低弱而渺茫。
我們的男女歌手
聽了歌聲喉嚨便發癢，
我們飛步出了車廂，
兩條腿像一雙翅膀。
我們把緊鐵欄
身子探出老長，
聽出了

28

那是救亡的歌，
清脆，激昂，
公安局門口
一羣孩子們在唱。
他們的小嘴
叫開了一個個車窗，
歌聲
像火把，
燃燒着
每個聽衆的胸膛。
一列頭顱探出了窗外，

一千張大嘴一閉一張。
救亡的洪流
撼搖得地動，
救亡的洪流
激盪得人心痛，
救亡的洪流
溫煖了三九的嚴冬。
你一個電筒
我一個電筒，
給公安局門前的黑影
穿上了無數光明的窟窿。

30

我們招手，
我們呼喊，
歌聲把孩子們
拖到了我們的跟前。
他們不停的唱，
我們不停的唱，
旁觀的老幼
不再徬徨，
過路的人們
也停下步子放開了粗腔。
救亡的情感像沸水，

使大家全都變成了瘋狂！
這聲音比敵人的炸彈更響，
這聲音像爆裂的火山一樣，
這救亡的歌聲將響澈全國，
掛在每個中國人的嘴上。
誰敢說堂堂的中華會滅亡？
盲目才辨不清前面的明光，
倭奴的壽命不會久長，
請看看臉前這偉大的力量！
我們[illegible]松花江上，
多少人想起了自己

是狂風暴雨的合奏。
我們唱，
大家一個口，
一個心，
一個聲響。
我們唱，
悲壯的熱淚
衝出了眼眶，
我們唱，
電筒像我們的舌頭
舐在每個孩子的臉上。

34

他們的臉
籠着汗霧，
他們的臉
放射出興奮的紅光。
他們的血
爲祖國在澎湃，
從他們的臉上
可以去辨認黃帝的模樣。
他們更走近了一步，
近到這樣，
我們的手

可以撫到他們的頭上。
「我們的爸爸是工人，
我們的學校廚豫豐紗廠，
先生，請開好你們的住處，
幾時來約我們打鬼子去？」
「打倒日本帝國主義」！
一個孩子鼓粗了頸子狂喊，
「打倒日本帝國主義」！
大衆的反響霹靂震天。
列車動了，
拖着一廂救亡的熱情，

[illegible]

孩子們逐着車趕，
小手舉向天空。
列車的快步
丟下了我們的孩子，
只聽見他們的歌聲，
追着我們的歌聲——
一團火的救亡熱情，
追一團火的救亡熱情。

一九

換上了戎裝

脫掉長衫，
換上了戎裝，
我的生命
另變了一個模樣。

×

穿起同樣的戎裝，
手握一支鎗，
在「一九二七」的大潮流中。

33

作過猛烈的激盪。

× × ×

從什麼時候起，
我被握在平凡的掌心，
生活的鈍刀
鋸斷了我十個年頭的青春。

× × ×

魚龍困在涸轍中，
你可以想，
它是怎樣渴望
壯闊的濤浪

把它帶到
浩瀚的大洋！

× × ×

我不能再不動，
四面一片時代的呼聲！
敵人的炮火
粉碎了我們的河山，
也粉碎了我們身上的栲鐐，
叫起了我們那四萬萬五千萬。

× × ×

39

我沒有拜侖的彩筆，

40

我沒有彼得斐的喉嚨，
爲了民族解放的戰爭，
我却有着同樣的熱情。

× × ×

我甘心擲上這條身子，
擲上一切，
去贏最後勝利的
那一份光榮。

一月十六日

抗戰到底

抗戰到底！
我們的紅血不是白流的。
在戰爭中，
敵人的手
把我們的大衆指點成聰明。
他敎會了我們放鎗，
敎會了我們打游擊，
他迫我們擕起手來，

42

用生命保衛自己的家鄉。

× × ×

抗戰到底！
我們的紅血不是白流的。
砲火燬了
我們的河山城池和土地；
同時也洗淨了
污穢，陳腐，
在上面
遍撒
新鮮自由的種子。

一月

保衛大徐州

老黃河用半截手臂
環護着我們這偉大的古城，
津浦，隴海劃一個鐵十字
在它的心中。
登上高崗，
可以對東海吐氣，
鮮的魚，
白的鹽，

44

往返的火車
載不盡的富源。
前後不斷的青山
像數不清的帳幕，
要三十萬大軍
把守在裏邊。
子房山頭
彷彿簫聲還在響，
楚歌四面，
扛鼎的霸王
領起殘騎

引退烏江。
徐州城，
是中華的左心室，
他的脈絡
關連着中華整個的生命。
徐州城，
他正受着四面的圍攻，
敵人想用砲火穿透這一點，
把我們的南京連結起北京。
保衛他，
用血用肉！

46

保衞他，

豐沛蕭碭從古多英雄。

二月八日

(註)引用子房項羽的故事，意在證明徐州之重要，歷來爭天下者，失此則大勢已去。於今正在百里附近與敵人作殊死戰，昨日登上千古戰場的「雲龍山」，北望烽烟，情緒之悲壯，莫可形容！

四月八日 誌於徐州

通紅的火把

——爲反侵略運動大會火炬游行作——

晚上七點鐘，
「新民大會場」
人滙成海，
燈滙成海，
頭顱的波濤
湧動在光的海面。
一串串燈籠，

48

炫耀在大衆的頭頂，
像一支支光亮的箭鏃，
穿過黑暗霸佔了天空。
這不是清明的烟火，
這不是元宵的燈，
這是皇帝的子孫，
一齊站起來反抗敵人！
復仇的熱血
要濺出胸外，
我們再也不能忍耐！
我們再也不能忍耐，

全世界正義的大手
一齊向我們伸過來。
燈火燃灼了
心頭的火，
心頭的火點亮了
救亡的呼聲
救亡的歌。
像六月的暴雨，
這聲音帶起沈雷，
震動得蒼天
要坍塌下來！

50

「燃起我們的火把！」
「燃起我們的火把！」
你也喊叫，
我也喊叫，
幾千個喉嚨呼出了
同一的要求，
同一的聲調。
火把亮了，
一支，兩支，幾百支，
燒紅了長空，
燃紅了人臉，

奪去星月，
把黑夜做成了白天。
它是太陽月亮的雙生，
它是中華的象徵，
它是熱，它是力，
它是偉大的神靈！
這火把接起了
五千年歷史的輝光，
這火把點亮了
世界上正義的胸膛，
這火把把一切陳腐，懦弱燒光，

52

這火把引我們到戰場，不怕死亡！
火把高舉在人手，
人流逐着火流，
火口在嘯，
人的口，人的心胸是怒潮。
火把穿紅了大街，
火把穿紅了小巷；
火把到處
奔騰着反抗的力量。
火把燃燒的不是石油，
那是中華兒女的脂膏，

它將燃燒過長夜，
燃燒到無窮，
直到燒斷身上的梏鐐，
照着我們作自由的呼聲。

二月二十二日

54

血的春天

東風曳我登上城垣，
陽光把棉的戎裝孕滿，
死水上亮着一萬隻金眼，
柳條又給牽來了春天。
春光在逗人——
春光裏我却感不到溫暖，
我向無際的原野騁目，
到處是烽火，到處是狼烟。

誰有心去看紙鳶比高？
誰有心去看野馬奔跑？
傷懷的記憶不讓它抬頭，
我的心在聽候着戰神的呼喚！
在北國，
在中原，
敵人脚踏的地方
已經沒有了春天！
泰岱鎖起了眉峯，
大河板起了黃臉，
一把復仇的火苗

56

追起東風，
燃燒在原野，
燃燒在黃帝子孫的心間。
在我們的故鄉，
往年這日子，
綠草正着意
去繡大地，
柳眼替我們
看守着村莊，
莊稼人都牽着老牛
在田野裏忙。

滴一滴汗到泥土裏，
大地是我們的母親！
（五千年的歷史便是農人）
飲着她的乳漿，
靠着她的胸膛，
一代一代的子孫，
延續到無疆。
而今，催耕鳥
到處叫喊，
在我們的故鄉呵，
已經沒有人走向田間。

58

他們在流亡，
他們在離散，
凌辱與死亡
已和他們結成了侶伴。
鐵鳥是春大的燕子，
砲聲是二月的雷鳴，
敵人一手
把青春翻做嚴冬。
我們要用砲火
奪回溫暖的春天！
不能叫大地的母體，

59

碎屍萬段！
我們的血戰
已展開在北國，
在南天，
在長城外，
在長白山前。
一陣陣腥風，
一聲聲嘶喊，
在戰爭中
抖顫着一個血的春天！
抗戰！抗戰！

60

將敵人的腳跟，
從我們的國土上斬斷，
那時候，我們攜手踏回故國，
看一看鮮血染紅的春花，
看一看門前的青山，
洒一把淚——
是辛酸也是喜歡。
那時候的春風
將多麼暢快，
從中原的地面
吹向關東，

吹向塞外，
無半點遮攔。

三月二日

62

偉大的空軍

憑一雙翅膀，
剁開凡千的雲層，
我們偉大的射擊手，
保衛着中華的天空。

×　×　×

當敵人來侵襲的時候，
它便發出怒吼，
像一羣鷹隼一樣，

把敵機打落在地上。
（它把我們的城市摧殘成廢墟，
我們和它捉夠了迷藏。）

× × ×

它曾成隊的出飛遠征，
把敵人的陣地炸得赤紅，
萬噸的「出雲」只須一擊，
一陣煙氛大海在沸騰。

× × ×

它又帶起中華的威風
飛向台北，

64

在敵人的領域內
大展神威，
一顆顆炸彈
投下去一聲聲中華民族的吼叫。
炸碎了敵人的飛機，
炸碎了敵人的胆，
震動了整個世界，
一齊向我們仰起了臉。

三一夏二十前

別潢川

——贈青年戰友們——

去了，我馱起
悲壯的感情，
它過重的分兩
壓得我心痛。
臨去我回頭望一望「沙河」，
水浪曳動輕舟，
三五匹戰馬

63

在飲着清流。
河水它會永遠記得，
記得我投給它的眼波，
記得救亡歌聲
給它的激動。
白金粒的沙灘，
像一個靜的夢境，
上面印着我們的脚跡
和武裝的身影。
殘破的城垣，
多少次我登在上面，

67

一片原野引我的心
到戰場，
到故鄉，
到遙遠遙遠我所系念的地方。
我的感情染上了鵝黃的柳條，
染上了萌動的小草，
同着春色，
染遍了無際的青郊。
五千年青人
失去了家園，
五千個胸膛裏

68

掛一副鉄的肝胆。
為了祖國，
把生活浸在苦辛中，
為了抗戰，
甘願把身子供作犧牲。
女的是姊妹，
男的是弟兄，
立脚在一條戰線上，
我們一點也不陌生。
我要去了，
到漠漠的西北去看風沙，

去認識一個新的世界，
使自己的生命重新萌芽。
也許會到戰場上去，
面對着血肉的現實，
叫自已的心
受砲火的洗禮。
戰神一手
把人間的關係攪亂，
待將來，
再給它一個新的安排。
贈別不須眼淚，

70

我們都還年青，
一齊挺起腰來
去拉大時代的繂縄。
將來再碰到時，
用歡喜的淚
去慶祖國的新生，
無妨用長長的話頭
細數個人
那一段苦鬥的歷程。

三月底，于潢川。

71

武漢，我重見到你

十年流光，
我 過去
一張空白紙，
滿地烽烟，
今天，
我重來見你。
不須登上黃鶴樓
去作人事的滄桑感，

72

不須對着江上的浮雲
歎芻狗的變幻。
我重來，
不是爲了好風光：
暮春三月的江南天，
「雜花生樹，
鶯飛草長。」
在故都，
我親眼看過蘆溝橋的烽火。
一千個險關
我親身度過，

到銅山，到西安，
流亡中
我看過了多少悲劇的扮演。
終于我穿上了武裝，
參加了抗戰，
把微力做一個浪花
去推波助瀾。
武漢，
你中華新生的萌芽點，
辛亥革命，
北伐成功，

24

你的名字
永遠是光榮。
這次從前方來，
我懷着一個夢，
你比「一九二七」
一定更健雄，
更偉大、
更興奮，
更年靑。
然而，再好的夢
也擱不起事實的一擊，

我傷心又憤怒，
對着眼前這一堆影子。
密擠的高樓
填滿了當年的空地，
柏油漆亮了石子路，
流線汽車在上面疾馳。
從人們的臉上
我找不出緊張，
熙熙攘攘，
一片太平的景象。
舞場的燈紅，

76

（前線上有戰士的血腥！）
夜半的歌聲，
（前線上嘶喊着衝鋒！）
酒樓茶社裏
熱烈歡騰，
（多少地方沸騰着救亡的熱情！）
逐着聲，
逐着色，
逐着享樂的夢，
靡爛在殘蝕着有用的生命！
又有多少人

把你的胸膛
暫作了避難的屏障，
烽火閃到跟前
他們便斂開你
另去尋世外的桃源。
武漢，
抖一抖身子站起來，
抖去一身的腐臭和頹靡，
「一九二七」的壯烈，
你還該清楚的記得。
高舉你的大手，

78

招起四萬萬大衆，
放開你的喉嚨，
喚起救亡的熱情，
大時代的洪流
已逼近了你，
起來，
給祖國再造一個新生！

四月一日

過武勝關

一千重山，
一萬重山，
千萬重山巒
嵌着鉄的雙軌，
嵌着武勝關。
砲壘
雄踞在山頭
作偉大的沈默，

山脚下衛國的壯士
陣容無比的威嚴！
自從平漢路
穿不過黃河對岸，
國人齊喊：
「保衛大武漢！」
天險不過是一道範籬，
救亡却須靠着人力！
羣衆鐵的血，
大家鋼的心，
一步一營壘，

我們去殲滅敵人。

四月三日

82

兵車向前方開

耕破黑夜，
又馳去白日，
赴敵幾千里外，
挾一天風沙，
兵車向前方開。

×

兵車向前方開。
砲口在笑，

×

壯士在高歌，
風蕭蕭，
鬃影在風裏飄。

四月二十三日於赴漢車中